Billy Stuart
Les Zintrépides

Les Zintrépides

billystuart.com

Catalogage avant publication de Bibliothèque et Archives
nationales du Québec et Bibliothèque et Archives Canada
Bergeron, Alain M.

Les Zintrépides

(Billy Stuart ; 1)
Pour enfants de 8 ans et plus.

ISBN 978-2-89435-531-2

I. Sampar. II. Titre. III. Titre: Intrépides.

PS8553.E674Z44 2011   jC843'.54   C2011-940908-9
PS9553.E674Z44 2011

Éditrice: Colette Dufresne
Graphisme: Marie-Ève Boisvert, Éditions Michel Quintin

 Le Conseil des Arts du Canada
The Canada Council for the Arts   Patrimoine   Canadian
canadien   Heritage

La publication de cet ouvrage a été réalisée grâce au soutien
financier du Conseil des Arts du Canada et de la SODEC.
De plus, les Éditions Michel Quintin reconnaissent l'aide
financière du gouvernement du Canada par l'entremise du
Fonds du livre du Canada pour leurs activités d'édition.

Gouvernement du Québec – Programme de crédit d'impôt
pour l'édition de livres – Gestion SODEC

ISBN 978-2-89435-531-2

Dépôt légal – Bibliothèque et Archives nationales du Québec, 2011
Dépôt légal – Bibliothèque et Archives Canada, 2011

Éditions Michel Quintin
C.P. 340, Waterloo (Québec)
Canada J0E 2N0
Tél.:   450 539-3774
Téléc.: 450 539-4905
editionsmichelquintin.ca

11 - W K T - 1

Imprimé en Chine

Billy Stuart
Les Zintrépides

Livre 1

Texte : Alain M. Bergeron
Illustrations : Sampar

ÉDITIONS
MICHEL
QUINTIN

Billy Stuart

Foxy

Yéti

Les Zintrépides

Galopin

FrouFrou

Muskie

 AVeRTIssement

Billy Stuart n'est pas l'ÉLU avec un grand É. Il ne chevauche pas un ours polaire. Il ne porte pas d'anneau à son doigt ni à son oreille. Dans ses tiroirs, il ne cache pas de collections de masques ou de pierres. Il n'a pas de daemon qui marche à ses côtés depuis sa naissance. Son front n'est pas zébré d'une cicatrice.

Bref, le sort du monde ne repose pas sur ses frêles épaules.

Billy Stuart n'est qu'un jeune raton laveur ordinaire à qui sont arrivées des aventures extraordinaires.

Voici la première histoire qu'il m'a racontée.

Alain M. Bergeron

Un 12 janvier, dans la ville de Cavendish.

Ce cher FrouFrou...

Dans la coquette ville de Cavendish où j'habite, moi, Billy Stuart, les trottoirs sont en **BOIS**, les rues en terre et les maisons d'une même rue sont toutes de couleur identique. Je demeure sur la rue Rouge écossais, symbole de la famille Stuart.

Mes amis logent dans le voisinage :

- ✿ Foxy, la renarde, sur la rue Rousse ;
- ✿ Muskie, la mouffette, sur la rue Noir et Blanc ;
- ✿ Yéti, la belette, sur la rue Blanche, l'hiver, et Brune, l'été ;
- ✿ Galopin, le caméléon, sur la rue **MULTICOLORE**, selon la teinte du ciel. Aujourd'hui, sa maison a viré au bleu azur, car il fait très beau.

Dommage pour moi qu'un orage ne soit pas au rendez-vous. Puisque je dois aller promener le chien FrouFrou. Je ne peux le sortir que sous un soleil magnifique, sinon il sentirait le chien mouillé et ça ternirait son admirable robe... Où est la pluie quand j'ai besoin d'elle ?

FrouFrou est un caniche blanc que je déteste. Il appartient à nos voisins, les MacTerring. Au début de l'été, j'ai eu la charmante idée de leur proposer mes services de baladeur de chien. Ils ont accepté avec *empressement* en échange de quelques sous. Ça me procurerait un peu d'argent de poche pour m'acheter, à l'épicerie du quartier, sur la rue Bonbon, ma gâterie préférée : des écrevisses en CHOCOLAT !

Miam ! Miam ! Miam ! Délichieux !

Voilà maintenant deux semaines que je promène ce sale FrouFrou... Aucune écrevisse, fût-elle en chocolat, ne vaut ce boulot !

D'abord, l'allure… FrouFrou est le portrait classique d'un caniche : le **corps** rasé, à l'exception des **pattes**, du **cou**, de la **tête**, de la **queue**, alouette… je te plumerai FrouFrou, je te plumerai !

C'est totalement ridicule.

Si ce n'était que ça. Mais il y a l'attitude, son air hautain (sa niche est presque aussi **grosse** que notre cabanon!). Dès qu'il met le pied dehors, ce chien de haute classe se transforme en un insupportable cabot. Il jappe sans cesse pour diverses raisons: un chat qui miaule au loin, le facteur qui traverse la rue, une feuille qui tombe d'un arbre, un avion qui vole au-dessus de nous, moi qui respire… FrouFrou devient alors… *foufou*!

Il tire sur sa laisse, à m'en arracher l'épaule. Il renifle partout, relevant le passage des chiens du coin. Lui-même ne se gêne pas pour déposer sa marque pour qui voudra la sentir. Et je vous épargne ses **autres besoins** qui me contraignent à ramasser les dégâts… et à les rapporter dans un sac! **BEURK**!

Parce qu'il aime me causer des ennuis, il s'échappe non pas au début ou à la fin de la randonnée, mais au milieu… Vous avez pensé à la route que je dois faire, à trimbaler le petit sac… Pire, il ne choisit pas les abords des parcs. Non… Monsieur FrouFrou préfère les terrains bien entretenus, surtout ceux de la rue Jaune… SACRILÈGE!

Évidemment, chaque fois, c'est moi qu'on blâme, comme si j'étais celui qui avait souillé la précieuse pelouse, moi qui ai pourtant la réputation de laver ma nourriture avant de la manger.

Je souhaiterais également que FrouFrou perde cette fâcheuse habitude de renifler l'arrière-train des chiens étrangers pour faire leur connaissance… Est-ce que je fais ça, moi, avec les nouveaux élèves à l'école?

C'est terriblement GÊNANT!

J'en viens à détester nos rendez-vous quotidiens.

Quand je parle à mes parents de mon envie d'abandonner cette tâche pénible, ils me servent leur sermon traditionnel sur l'importance d'honorer mon engagement.

— L'entente avec les MacTerring se termine avec l'été, me rappelle mon père.

Je proteste:

— Mais la fin de l'été, c'est dans un siècle!

Il n'y a pas de discussion possible. Je suis condamné à gaspiller mes vacances à m'occuper de FrouFrou.

Aussitôt que nous sommes hors du champ de vision des MacTerring, FrouFrou se métamorphose en vous savez quoi. Et moi? Je me mets un sac de papier sur la tête.

Un bel après-midi, las d'entendre japper le caniche à propos de tout et de rien, Billy Stuart prend une décision.

— On va faire une longue balade, toi et moi…

— Ouaf! répond FrouFrou.

Billy place le chien dans le panier de sa bicyclette et roule pendant 15 minutes dans la belle ville de Cavendish. Il s'arrête et dépose FrouFrou en bordure de la route.

— Reste, sale cabot! lui ordonne-t-il.

— Ouaf! répond FrouFrou.

Satisfait, Billy rentre à la maison. En arrivant chez lui, il voit FrouFrou assis sur la galerie. Il jappe à la vue du facteur. Billy Stuart reprend donc le chien, l'installe dans son panier et roule pendant 20 minutes. Il s'arrête et le dépose en bordure de la route.

— Reste, sale cabot! lui ordonne-t-il.

— Ouaf! répond FrouFrou.

Satisfait, Billy rentre à la maison. En arrivant chez lui, il voit FrouFrou assis sur la galerie. Il jappe à la vue d'un écureuil. Billy Stuart reprend donc le chien, l'installe dans son panier et roule pendant 30 minutes. Puis, il tourne à gauche. Il roule encore 10 minutes avant de tourner à droite, puis à gauche, puis de revenir sur ses pas sur 500 mètres. Il s'arrête finalement et dépose le chien en bordure de la route.

— Reste, sale cabot! lui ordonne-t-il.

— Ouaf! répond FrouFrou.

Beaucoup plus tard, Billy Stuart s'arrête à une cabine téléphonique et appelle sa mère.

— Maman, est-ce que FrouFrou est à la maison?

— Oui, Billy. Ton chien est sur la galerie. Il jappe après les oiseaux.

— Ce n'est pas mon chien, maman. Je peux lui parler deux minutes?

— Pourquoi? demande sa mère.

— Parce que je suis perduuuuuuuuuuuuuuu!

MOT DE L'AUTEUR

Une petite précision...

À toi, cher lecteur, je dois des explications à ce stade-ci du récit.

D'abord, je me présente : Alain M. Bergeron, l'auteur à qui Billy Stuart a raconté ses nombreuses aventures.

Au fil des pages, tu le remarqueras, il m'arrive d'ajouter mon grain de sel directement dans la narration faite par Billy Stuart, afin de :

A) préciser davantage un point ou une information ;

B) rajouter un commentaire personnel ;

C) m'amuser ;

D) l'ensemble de ces réponses.

Ma présence dans ce livre et les suivants se fait par l'intermédiaire du « Mot de l'auteur ». Tu repéreras facilement ces interventions grâce à l'encadré qui ressemble à une note collée dans la page.

Voilà. Tu peux reprendre ta lecture.

Et je signe ce mot de l'auteur :

A.M.B (Tu devines pourquoi, non ?)

CHAPITRE 2

J'ai mon voyage!

Est-ce que je ressemble plus à mon PÈRE ou à ma *mère*?

Mes parents divergent d'opinion à ce sujet. Mon père prétend que je suis tout lui, son portrait craché; ma mère estime que c'est le contraire, que les traits de mon visage sont les siens. Personnellement, je crois que je suis UN HEUREUX MÉLange des deux.

Il s'agit d'un sujet délicat dans la famille Stuart. J'ai déjà posé la question à monsieur et à madame. Il s'en est suivi une terrible discussion que j'ai interrompue en m'aspergeant la tête d'un pot d'eau. Billy a raison : il tient autant de sa mère que de son père. Je sais que ceux-ci liront ses aventures, donc, inutile de créer un nouveau conflit familial à ce propos.

Quant à mon caractère, encore une fois, mes parents *ne s'accordent pas.* C'est selon les circonstances. Lorsque je parviens à exécuter un travail ardu – par exemple, faire un nœud de foulard, ce qui n'est pas à la portée du premier venu –, mon père et ma mère se vantent de mes aptitudes.

— Ce côté lui vient de **ma** famille ! affirment-ils.

Si je gaffe – que je casse une fenêtre en jouant au ballon avec mes amis –, ils rejettent la faute sur l'autre.

— Ce côté lui vient de **ta** famille ! s'obstinent-ils.

Moi, Billy Stuart, je suis un raton de compromis : j'ai le tempérament audacieux de mon père et l'intelligence de ma mère. Je suis aussi d'une nature curieuse. C'est un peu pour cette raison que j'ai accepté d'adhérer aux **SCOUTS**.

J'ai rapidement gravi les échelons de la meute des Zintrépides. Par la force des choses, mon *habileté* à nouer les amitiés… et les foulards, je suis devenu le chef. D'accord, on n'est pas beaucoup dans notre troupe (cinq, moi inclus), mais c'est un début. D'autres membres pourraient se joindre à nous.

Je marche sur les **traces** de mon grand-père paternel. J'ai hérité de son amour pour le plein air et de son goût pour l'*AVENTURE*. Il s'appelle Virgile Stuart. Je l'adore. Si je le pouvais, je franchirais les torrents les plus déchaînés, j'escaladerais les montagnes aux pics les plus escarpés, je braverais les pires **DANGERS** en sa compagnie.

Il n'existe pas sur cette planète ronde un coin qu'il n'ait exploré. Le monde n'a plus de secret pour ce grand voyageur. J'aimerais, un jour, qu'il m'emporte dans ses bagages pour m'évader de mon **TRAIN-TRAIN** quotidien. Toutes les histoires qu'il pourrait me raconter…

OUAIS ! Après mûre réflexion, c'est à lui que je veux ressembler.

Note aux parents de Billy Stuart : n'en soyez pas offusqués, s'il vous plaît.

Par contre, aujourd'hui, je voudrais ressembler à un courant d'air !

Mon père et ma mère souhaitent dépanner nos voisins dans l'*embarras*. Les MacTerring partent en **VOYAGE** en Europe pour un mois. La bande à Zazou, le service de garde auquel ils devaient confier leur FrouFrou de malheur, a fermé ses portes pour la durée des vacances.

Les voilà tous les deux sur notre perron, affichant leurs têtes de piteux pitous.

Les MacTerring interprètent ce son comme un « oui ». Ils se réjouissent de la nouvelle. Madame appelle son chien-chien qui accourt aussitôt, aboyant. Il bondit sur moi et me projette au plancher. Ce sale cabot me lèche le visage… Pouah ! Il a une haleine de chien, l'animal ! Quand je songe à ce qu'il a nettoyé avec sa langue… DÉ-GOÛ-TANT !

Nos voisins ne perdent pas de temps! Ils reviennent les bras chargés: de la nourriture, une couverture bleue, un jouet en plastique qui fait **PUT PUT** si on le presse – et qui déclenche une redoutable excitation chez le cabot –, un coussin, une boîte de biscuits qui – si on a le MALHEUR de la secouer – engendre une autre redoutable excitation, bref, tout pour le bien-être de ce chien foufou.

Les MacTerring remettent à mes parents une **feuille d'instructions** avec l'horaire des repos, des repas, des exercices…

— FrouFrou n'aime pas dormir seul, prévient madame. S'il ne sent pas une présence à ses côtés, il risque d'aboyer toute la nuit…

QUOI ? Je vais devoir partager ma chambre avec ce cauchemar de chien ?

Monsieur tend à ma mère des bouchons.

— C'est pour Billy Stuart, lui indique-t-il. Parce que FrouFrou RONFLE COMME UN MOTEUR DE TONDEUSE...

AU SECOUUUURS !

CHAPITRE 3

Une lettre de mon grand-père

Ce n'est pas vrai que le chien ronfle comme un moteur de tondeuse… Il ronfle comme un moteur d'avion! Et les bouchons dans mes oreilles n'y changent *strictement rien*! Je dois garder la fenêtre de ma chambre fermée sinon tout le voisinage de la rue Rouge écossais l'entendra. En plein été! *Devinez qui sera blâmé?*

J'habite à quelques rues de chez Billy Stuart, dans le secteur des maisons grises, et j'avoue que certains soirs, lorsque le vent souffle vers l'est, il emporte avec lui un ronronnement sourd…

Saleté de FrouFrou !

Il ronfle la **NUIT** et jappe le jour. Un monument au bruit sur quatre pattes.

Ce sera ainsi jusqu'à la fin de mes vacances. Vivement la rentrée des classes !

Je suis en train de ruminer **1000** et **1** façons de m'en débarrasser tout en lançant la balle de tennis contre le mur. Le chien l'intercepte en sautant et me la rapporte chaque fois. Je poursuis ce jeu de longues minutes. Inutile de penser que FrouFrou va s'en lasser. Le mur sera défoncé par la balle avant que le caniche à piles n'épuise ses énergies.

C'est ma mère qui attrape la balle avec sa main. Je l'applaudis.

— Bravo! Bonne maman! Rapporte la ba-balle!

Elle rigole.

— La balle est mouillée… Tu l'as laissée tomber dans l'eau?

— Non, c'est de la **BAVE** de chien…

Sa belle humeur s'évanouit. De la poche de son pantalon, elle tire une enveloppe qu'elle me tend.

Le chien FrouFrou, enjoué, virevolte autour d'elle en bondissant sur ses pattes arrière.

— La balle, maman! lui dis-je en décachetant l'enveloppe.

Super! Une lettre de mon grand-père.

Ma mère envoie la balle dans le couloir.

Le caniche, *excité*, tente de démarrer comme une fusée, mais il fait du sur-place. Ses griffes n'ont pas de prise sur le plancher de bois. On croirait qu'il danse des claquettes.

AFFOLÉE par les marques des griffes sur le plancher, ma mère pousse un cri tandis que le chien décolle finalement de sa rampe de lancement.

— Ce n'est pas moi! Je me coupe les ongles des pieds chaque semaine.

La balle qui bondit dans le couloir frappe quelque chose…

CRASH !

Au son, je dirais que c'est le bibelot de porcelaine sur la petite table.

BOUM !

Et ce bruit-là, c'est FrouFrou qui vient de heurter la table parce que le plancher est *glissant* à cet endroit.

Ma mère va constater les dégâts. Elle peste contre le chien qui aboie de **plaisir**. Il espère seulement que le jeu continuera.

Je profite du calme de ma chambre pour jeter un coup d'œil à la lettre de mon grand-père Virgile.

J'ai une photocopie de la fameuse lettre. Elle est illisible à quelques mots près. Une écriture de médecin pressé de rédiger une ordonnance pharmaceutique... Pourtant, Billy Stuart n'a eu aucune difficulté à la lire. Je vous la présente en deux versions : la première, celle écrite à la main, et l'autre, retranscrite à l'ordinateur.

Cavendish, le 13 juillet
Mon cher Billy Stuart,
Aujourd'hui, j'ai fait une découverte sensationnelle. Tu
sais que j'ai toujours cru possibles les voyages dans le temps, non pas
à l'aide d'une machine à la H. G. Wells — c'est de la fiction, ça —
mais bien par des voies de passage.
C'est comme si la Terre se gardait une porte ouverte sur son
histoire. Fascinant, n'est-ce pas? Les voies sont nombreuses
depuis ... si ils partent indéfinis.
Or, j'ai trouvé l'une de ces voies. Oui, Billy Stuart! Elle
est située dans la caverne de Roth près de l'affluent de la
rivière Bulstrode, au cœur de la forêt de Kamuks. J'ignore où
cette voie me conduira, mais je suis décidé à la suivre.
Ce sera l'aventure la plus importante de ma vie!
Viens me rejoindre demain, vers 14 heures, pour me saluer
avant mon grand départ.
J'ai très hâte de te revoir ... et de partir!

Ton grand-père préféré,

Virgile Stuart.

P.-S.: Ne dis rien à tes parents, ils s'inquièteraient
pour moi

Cavendish, le 13 juillet

Mon cher Billy Stuart,

Aujourd'hui, j'ai fait une découverte sensation-nelle. Tu sais que j'ai toujours cru possibles les voyages dans le temps, non pas à l'aide d'une machine à la H.G. Wells – c'est de la fiction, ça –, mais bien par des voies de passage.

C'est comme si la Terre se gardait une porte ouverte sur son Histoire. Fascinant, n'est-ce pas ? Ces voies sont empruntées depuis des siècles par des initiés.

Or, j'ai trouvé l'une de ces voies. Oui, Billy Stuart ! Elle est située dans la caverne de Roth près de la fourche de la rivière Bulstrode, au cœur de la forêt des Kanuks. J'ignore où cette voie me conduira, mais je suis décidé à la suivre. Ce sera l'aventure la plus importante de ma vie !

Viens me rejoindre demain, vers les 14 heures, pour me saluer avant mon grand départ.

J'ai très hâte de te revoir... et de partir !

Ton grand-père préféré,
Virgile Stuart.

P.-S. : Ne dis rien à tes parents, ils s'inquiéteraient pour moi.

Ça parle aux **MILLIONS** d'écrevisses de la rivière Bulstrode !

Mon grand-père va voyager dans le temps !

J'en suis abasourdi.

CHAPITRE 4

Quand demain est aujourd'hui

C'est fantastique !

Mon grand-père Virgile a découvert un moyen de voyager dans le temps et il m'invite à le rejoindre pour le saluer avant son grand départ. Comme j'aimerais revenir en arrière de plusieurs jours, quand, la première fois, j'ai proposé aux MacTerring de promener leur chien ! J'irais plutôt voir Foxy, la renarde, qui **adooooore** FrouFrou, pour lui suggérer l'idée de s'occuper du caniche. Je la ferais marcher… et j'aurais droit à des **vacances de rêve**…

Je me demande comment mon grand-père peut maîtriser l'art du voyage dans le temps. De quelle façon peut-il déterminer où le conduira son périple ? À **l'époque** des dinosaures peut-être ? Et si je lui offrais d'amener FrouFrou avec lui ? Et si un **TYRANNOSAURE** le mettait à son menu… Le chien, pas mon grand-père ! On peut rêver…

En examinant la lettre de grand-père, je me dis que quelque chose cloche, mais je n'arrive pas à trouver de quoi il s'agit.

Son ÉCRITURE HACHÉE, indéchiffrable pour le commun des mortels? Non, ce n'est pas ça. Sa signature? Encore moins. Je reconnais son Y formé de deux lignes qui se prolongent légèrement à sa base et qui donnent l'impression que le Y est un X…

Mon regard s'attarde à la date…

Soudain, l'évidence me frappe. **LE 13 JUILLET!**

Ça parle aux millions d'écrevisses de la rivière Bulstrode!

Le 13 juillet, c'était hier!

Je relis la lettre en diagonale.

« …Viens me rejoindre demain… »

Mon cerveau **BOUILLONNE**. Demain, pour mon grand-père, c'est le 14 juillet. Et le 14 juillet, pour moi, c'est aujourd'hui ! On est à son demain, à ce rendez-vous qu'il me fixe à…

« … 14 heures… »

Dans une heure !

Je suis sur le point de sortir de ma chambre lorsque j'aperçois mon uniforme plié sur le dossier de ma chaise.

Mais le 14 juillet, à 14 heures, *j'ai déjà rendez-vous* ! La meute des Zintrépides a prévu une randonnée en forêt à cette heure-là ! On croyait qu'avec cette histoire de 14 – jour et heure –, personne ne l'oublierait. Pour reprendre une expression connue : inutile de chercher midi à quatorze heures !

Je réfléchis à la vitesse grand V pour Virgile. Où est le lieu de rencontre de la troupe ? Au début du sentier de la rivière Bulstrode.

Nous devons:

remonter une partie de la rivière, fabriquer une canne à pêche avec les moyens du bord, attraper des poissons, les nettoyer, faire un feu, y cuire nos repas et, ultime épreuve, les manger…

Si nous échouons, nous pourrons toujours nous rabattre sur la conserve de thon qu'apportera Foxy. Beurk ! Rien que d'y penser, j'en ai la nausée. J'aurais préféré une **PIZZA** aux écrevisses.

Si j'évalue correctement la cartographie du territoire, on ne sera pas loin de la caverne de Roth mentionnée par mon grand-père. En me *dépêchant*, je serai à l'heure. Ce serait ironiquc d'être en retard pour assister au départ de son voyage dans le temps.

J'enfile mon kilt et mon uniforme en quelques mouvements rapides. Mes doigts agiles font le nœud de foulard autour de mon cou.

Le chien FrouFrou ne me lâche pas d'une semelle dès que je mets le pied hors de ma chambre. Près de la porte d'entrée, je lui ordonne d'un index menaçant:

— Reste! Billy Stuart – c'est moi, ça, sale cabot! – revient bientôt.

Comme si le chien pouvait saisir la nature de « bientôt ». Je lui aurais dit dans 100 ans qu'il ne m'aurait pas davantage compris.

CONNAIS-TU TES COULEURS ?

DIS À
VOIX HAUTE DE QUELLE
COULEUR SONT LES MOTS
SUIVANTS :

ROUGE
BLEU
VERT
ROUGE
VERT
VERT
ROUGE
VERT

VERT
BLEU
BLEU
BLEU
ROUGE
BLEU
BLEU
VERT

ROUGE
BLEU

Au moment où j'ouvre la porte pour me sauver, je suis intercepté par ma mère.

— Où vas-tu comme ça, jeune raton laveur ?

— **Euh...** les Zintrépides...

Pas de précieuses secondes à perdre à tout lui expliquer, surtout pas pour l'histoire de grand-père. En répondant ainsi, je ne lui mens pas et ne l'inquiète pas non plus...

ANXIEUX, je jette un coup d'œil à l'horloge du salon. Je trépigne comme quand j'ai envie et que la salle de bain est occupée.

— D'accord. Amuse-toi bien, finit par me souhaiter ma mère. *Sois* prudent. *Fais* attention aux ours noirs. On prévoit des orages cet après-midi. As-tu ton imperméable? Ne *parle* pas aux étrangers. *Évite...*

— Merci, maman! Bye!

Je suis presque à l'extérieur lorsqu'elle s'écrie:

— **UN INSTANT!** Et ça?

Je le savais ! « Ça », vous l'aurez deviné, c'est ce cabochon de chien, la gueule pendante, qui bondit de joie sur ses pattes arrière et qui croit que c'est l'heure de la promenade quotidienne.

— Quoi, ça ?

— **ÇA**, insiste-t-elle, c'est **TA** responsabilité. Tu ne peux pas laisser FrouFrou tout seul. Il va tellement s'ennuyer sans toi qu'il risque de **DÉMOLIR** ta chambre avant ton retour.

Ma mère déniche la laisse dans le placard d'entrée et l'attache au collier de FrouFrou.

— Il peut t'accompagner. Un peu d'**exercice** lui procurera le plus grand bien.

D'ordinaire, j'obéis sans rechigner aux demandes de mes parents. Là, pas question que j'emmène FrouFrou dans la FORÊT. Je décide de tenir tête à ma mère.

— Non! Je ne veux pas! Il n'a qu'à m'attendre ici. Il embête mes amis, dis-je, résolu, les bras croisés sur ma poitrine.

Voilà! Ça n'a pas été aussi difficile que je le craignais… Il s'agit de s'affirmer.

CHAPITRE 5

L'hymne des Zintrépides

— Tiens-toi tranquille !

La laisse est tendue au maximum. FrouFrou me devance sur le chemin étroit qui mène au sentier près de la rivière Bulstrode. Il *tire* continuellement au risque de s'étrangler.

— Au pied !

Mon ordre est de nouveau sans effet. J'aurais pu lui crier « Pizza ! » que le résultat aurait été le même !

Aussitôt que le chien flaire la présence de mes amis, il se met à aboyer.

Quand il entend Foxy l'appeler, il ne se contient plus.

— Viens me voir, mon beau FrouFrou *d'amour chéri*, que je t'aime, que je *t'adore* !

La queue du caniche oscille à la manière d'un métronome déréglé. Haletant, il se tient au bout de sa laisse, dressé sur ses deux pattes arrière, le corps projeté vers l'avant à pédaler dans le vide. C'est garanti : il va me disloquer l'épaule ! **Tant pis !** Je nous libère…

Lâché, l'animal galope vers Foxy qui lui tend les bras. Leur rencontre est dégoulinante de bave. **BEURK !**

FrouFrou lèche le visage de la renarde qui ne s'écarte pas de ce repoussant témoignage d'affection canine. Dommage pour toi, Foxy ! Hi ! Hi ! Hi !

Mon amie sait que je déteste le chien, ce qui constitue, pour elle, une raison de l'apprécier encore plus. Les autres membres de la meute ne partagent pas son avis.

OUAF!

EH! BILLY STUART! ÉLOIGNE ÇA DE MOI!

JE BLANCHIS À VUE D'OEIL!

QU'IL Y VIENNE! NON, MAIS QU'IL Y VIENNE!

JE N'AI PAS PEUR DE TON CHIEN, MOI!

BRRAOUOOM

TIC TAC

Il faudra me hâter si je veux arriver à temps au rendez-vous que m'a fixé mon grand-père. Comme je ne prévois m'absenter que quelques instants pour aller le saluer, je ne juge pas nécessaire de tout expliquer à mes compagnons. Je n'aurai qu'à confier ce fichu FrouFrou à Foxy qui ne demandera pas mieux que de s'en occuper.

Bien qu'excité par les arômes de la nature, le chien marche dans le **sentier** aux côtés de Foxy. Comment fait-elle pour le maintenir sagement auprès d'elle? Je devrais piler sur mon orgueil de raton laveur et la supplier de me dévoiler son truc.

J'entonne une chanson, non pas pour détendre l'atmosphère, mais pour signaler notre présence et pour nous protéger d'une éventuelle attaque des OURS NOIRS.

Je chante exagérément faux et **FORT** les paroles de l'hymne des Zintrépides:

Il y a très longtemps, j'avais entendu à la télé des paroles semblables : « Nous marchons tous de fière allure... Nous allons tous vers l'aventure... » Il s'agissait de la chanson d'un dessin animé : *Robin Fusée*. Malgré toutes ces années, aujourd'hui, je peux la rejouer dans ma tête... Cette chanson aurait-elle inspiré l'hymne des Zintrépides ? Qui sait ?

Aux premières notes, FrouFrou **HURLE** comme un **LOUUUUUUP**... imité par la meute.

Une odeur nauséabonde se répand dans la nature.

— Ça pue ! se lamente Galopin.

Évidemment, tout le monde se tourne vers Muskie. Lorsqu'il est question de mauvaise odeur, la mouffette se montre très susceptible. On pourrait dire que la moutarde lui monte facilement au museau. Surtout quand elle est accusée d'un méfait qu'elle n'a pas commis.

— Tu aurais pu te retenir ! la blâme Foxy.

Muskie est outrée d'être perçue comme étant la CAUSE de cet ennui.

— Dès que ça ne sent pas bon, c'est la faute de la mouffette ! Allez-y ! Défoulez-vous ! La mouffette a le dos large.

Mais cette fois, ça ne « sent » pas Muskie. Il n'y a rien de comparable à la puanteur qu'elle peut dégager.

Et là, ça sent plutôt les toilettes en plein air !

Parce que, aux abords du **sentier** qui longe la rivière Bulstrode, un ours noir vient d'apparaître.

CHAPITRE 6

Un ours de mauvais poil

Quelle noire surprise ! Et ce n'est pas Winnie l'Ourson !
Nous sommes CLOUÉS sur place. Il ne faut surtout
pas paniquer et montrer à la bête qu'elle nous **TERRIFIE**.

Galopin, le caméléon, a viré trop vite du blanc au noir. Il
n'a que la moitié du corps en harmonie avec l'ours ; l'autre
moitié demeure apparentée au chien. Curieux dilemme !
Noir ou blanc. Blanc ou noir. Ébène ou ivoire, comme les
notes d'un piano.

L'ours **GROGNE** et se dresse sur ses pattes arrière.
Debout, il nous domine de plus d'une tête. Son cri est
terrifiant :

GRRRRRRRRAQQQQQQQQQQQAR !

Et là, un parfum épouvantablement familier
se répand dans l'air. Cette fois, aucun doute
possible sur sa provenance !

Vous savez que l'ours qui a servi d'inspiration au créateur de Winnie l'Ourson était une ourse noire? Elle se prénommait Winnipeg et elle appartenait à un militaire canadien, le capitaine et vétérinaire Harry Colebourn. Envoyé au front, en France, en 1915 lors de la Première Guerre mondiale, il a fait don de l'animal au zoo de Londres. C'est là que, quelques années plus tard, un journaliste canadien qui visitait le zoo en compagnie de son fils l'a vu. Ce monsieur du nom de A. A. Milne s'est inspiré de Winnipeg pour créer le personnage de Winnie l'Ourson. Son livre *Winnie-the-Pooh*, publié en 1926 et dont les illustrations originales sont d'Ernest Shepard – et non de Walt Disney... – a connu un grand succès.

MUSKIE! C'EST INFECT!

OUPS,...

DÉSOLÉE,...C'EST LA PEUR,ET JE ME SUIS UN PEU ÉCHAPPÉE.

SOUFFRIRAIS-TU D'INCONTINENCE,MUSKIE?

TROUPE,IL NE FAUT PAS S'ENFUIR EN COURANT,...RECULONS PRUDEMMENT.

J'y songe : si je ne ramène pas FrouFrou à nos voisins, ils ne voudront pas me payer pour mon dur labeur…

ET LE TEMPS QUI FILE… Le temps ! Mon grand-père Virgile. Son voyage dans le temps ! Je ne suis pas sorti du bois, moi ! J'ai une idée.

Il s'étend au sol et demeure immobile comme une goule de pierre.

BRAOUUUUUUUUUUUUUM !

Un nouveau coup de tonnerre, plus rapproché, celui-là. Le ciel est maintenant totalement **obscurci**.

Comme s'il avait changé d'intention, l'ours recule de quelques pas. Visiblement, le tonnerre l'a dérangé.

BANG !

Un bruit violent a éclaté derrière nous et nous fait tous sursauter. L'ours tourne les talons et déguerpit dans la forêt.

— Espèce de PEUREUX ! le défie Yéti.

— Et voilà le travail, annonce Foxy, en tenant les deux casseroles qu'elle vient de cogner l'une contre l'autre.

RRRRRR... RRRRRR...

Ce n'est pas le tonnerre. C'est Galopin qui ronfle, couché sur un lit de pissenlits. Le caméléon, censé faire le mort, s'est endormi… Je le réveille.

— Galopin, avec ton blanc, ton noir et ton jaune, tu ressembles à du pâté chinois, lui dis-je pour me moquer.

Pour nos amis européens ou d'ailleurs, contrairement à ce que peut laisser sous-entendre son appellation, le pâté chinois est un mets du Québec et non de l'Orient. Il est constitué d'un étage de viande de bœuf hachée et cuite, d'un deuxième étage de grains de maïs en crème et d'un troisième de purée de pommes de terre. Un classique au Québec : steak, blé d'Inde, patates, dans l'ordre. C'est savoureux, selon certains ; infect, selon d'autres.

— Ouaaaaaaah! s'étire le caméléon. J'ai manqué quelque chose?

BRAOUUUUUUUUUUUUM !

Les grondements de l'orage sont de plus en plus réguliers.

— Troupe, dépêchons-nous! dis-je. Ça rugit pas mal au-dessus de nous.

J'évalue que nous sommes à moins de 500 mètres de l'endroit où fourche la rivière, lieu où mon grand-père m'a donné rendez-vous.

— **HALTE !** tonne Foxy.

— Halte quoi ?

— Ton chien, FrouFrou…

— Ce n'est pas **MON** chien, Foxy ! Dans quelle langue faut-il que je le répète ?

Le regard de Foxy fouille les alentours.

Le chien…

SENS DESSUS
DESSOUS

Au cours de leur balade dans la forêt des Kanuks, les Zintrépides en voient de toutes les couleurs lorsqu'ils rencontrent un **OURS NOIR**.

Au jeu du métagramme (méta = transformation et gramma = lettre), tu peux passer de l'OURS au NOIR en quelques mots. Ce jeu consiste à trouver une série de mots qui ne diffèrent que par une seule lettre. Par exemple de **DEUX** tu peux te rendre à **NEUF** ainsi:
DEUX-VEUX-VEUF-NEUF

Pour résoudre ce jeu, il te suffit de trouver les **quatre** mots manquants entre **OURS** et **NOIR**.

Voici les points à observer:

1 Tu ne peux changer qu'une seule lettre par mot.

2 Les lettres doivent rester dans le même ordre.

3 Tes mots peuvent être au singulier ou au pluriel.

4 Ne tiens pas compte des accents.

Écris tes essais sur une feuille.
Tu y verras plus clair !

Solution à la page 156

CHAPITRE 7

Dans la caverne de Roth

Où en suis-je déjà?

Ah oui! L'OURS NOIR s'est évanoui dans la nature. L'orage est sur le point d'éclater et il n'y a pas d'abri en vue. Mon grand-père doit emprunter, d'ici peu, une voie de passage pour son voyage dans le temps.

C'est là où j'en suis!

J'oubliais: il commence à pleuvoir.

Mais de quoi dois-je me soucier? D'un stupide caniche blanc disparu en FORÊT.

Je réunis les Zintrépides.

— Troupe, allons-y par priorité: trouvons d'abord un abri. On verra pour le chien plus tard.

— Il y a des **CAVERNES** un peu plus bas, le long de la rivière. On pourrait s'y réfugier, suggère Foxy.

— D'accord!

C'est dans les environs qu'est située la grotte de Roth. Mon grand-père y est peut-être déjà. Je le souhaite.

L'ORAGE REDOUBLE D'ARDEUR. Le sentier est détrempé et glissant. Nous risquons de tomber à chaque pas. Dans le ciel en furie, le tonnerre roule en permanence.

Soudain, Foxy s'arrête et crée une légère bousculade.

— **ÉCOUTEZ** ! ordonne la renarde, qui tend l'oreille.

— Quoi ? On n'entend que le tonnerre ! Il faut continuer, dis-je.

— **TAISEZ-VOUS** ! impose-t-elle.

Malgré le vacarme que produit l'orage, on perçoit de faibles aboiements.

— FrouFrou! Droit devant! avertit Foxy.

Je suis offusqué:

— Eh! C'est moi le meneur de la meute.

— C'est vrai. *Excuse-moi*, Billy Stuart, admet la renarde dans un soupir exaspéré.

Satisfait d'avoir rétabli l'ordre hiérarchique, je lance :

— Troupe ! **DROIT DEVANT !**

Le sentier descend et bifurque vers la gauche. Les cris du caniche se rapprochent… à l'image de la rivière qui se gonfle dans son lit.

Il devient maintenant ardu de voir où nous marchons tant la pluie est forte. On se croirait sous une douche !

J'entrevois une **ÉNORME** masse sombre. Horreur ! L'ours noir est revenu ! Il est encore plus gros ! La pluie l'a fait doubler de volume ! À moins qu'il ne soit allé chercher sa mère…

J'appréhende le rugissement et l'attaque.

Ouaf ! Ouaf ! Ouaf !

Les ours noirs ne font pas « ouaf » ! Les chiens, si !

C'est…

— FrouFrou ! s'écrie Foxy, heureuse de renouer avec son chouchou *ché-chéri*.

Je réalise mon erreur. La masse sombre, c'est l'entrée d'une caverne. Le chien s'y est mis à couvert et, par ses aboiements, nous a indiqué la route à suivre.

Enfin ! Nous sommes au sec !

Foxy récompense FrouFrou d'une caresse. Le caniche, qui bondit sur ses pattes arrière, aboie de fierté et de plaisir. Il s'approche de moi dans l'espoir de recevoir le même traitement.

Et si l'ours noir avait suivi le chien… ou pire, si cette caverne était son refuge ou celui de la femelle ? FrouFrou nous aurait jetés dans la gueule du loup ? Euh… de l'ours ? NOUS SOMMES EN DANGER.

— Eh ! Voyez ce que j'ai trouvé ! déclare Galopin.

Le caméléon brandit un carnet de cuir brun ; des lettres dorées ornent la couverture. Il les lit :

— XS.

Je réfléchis… la caverne… le rendez-vous… XS… Je jette un coup d'œil à l'article.

— Ce n'est pas XꙄ, c'est YꙄ! Comme Virgile Stuart!

— Ton grand-père! dit Muskie.

Ému, j'ouvre son carnet.

— Remets ta lecture à plus tard, Billy Stuart, annonce Foxy. On a un *sérieux problème*…

Qu'est-ce qui peut être plus important que le carnet de mon grand-père, Virgile?

Nos vies…

La rivière a débordé et l'eau s'infiltre dans la caverne. lentement, mais sûrement!

CHAPITRE 8

Vers la sortie

Aucune issue possible! La rivière, devenue un torrent, coule à l'entrée de la caverne. D'ici peu, l'endroit qui nous sert d'abri sera inondé.

Je mets mes mains en porte-voix pour couvrir le bruit de l'orage et de la rivière.

— Troupe, il faut trouver une nouvelle sortie.

— Essayons de ce côté, lance Foxy.

Elle désigne UN PASSAGE SOMBRE qui remonte au fond de la caverne.

Muskie a apporté sa **lampe de poche**. Moi aussi. Nous nous enfonçons dans la grotte. Après une légère montée, nous descendons. Le plafond bas nous oblige à marcher penchés.

J'ai de nouveau confié le chien à Foxy, puisqu'ils **s'aiment tant** ! Elle tient le caniche en laisse.

D'affreuses pensées germent dans mon esprit. Je tente de les chasser, mais elles reviennent constamment. Qui nous dit qu'il y a une ouverture à l'autre bout ? Il s'agit peut-être d'un cul-de-sac ! Et si l'eau continue d'envahir la caverne ? Nous serions coincés comme des rats ! C'est atroce !

J'éprouve de la difficulté à respirer… Est-ce l'angoisse ? Serais-je claustrophobe ?

La claustrophobie est la peur irraisonnée des lieux clos. Avertissement : le frigo et la sécheuse ne sont pas des lieux clos, mais à éviter tout de même.

Le chien aboie par à-coups… **STUPIDE ANIMAL !** Il croit répondre à un autre de son espèce, mais c'est l'écho de son cri qui se répercute contre les murs de la grotte.

Le concert de jappements n'en finit plus.

— Fais-le taire, Foxy ! lui dis-je d'un ton suppliant.

— Ton chien est nerveux…

Après quelques minutes d'avancée, la voie **remonte** et le couloir s'élargit. La sensation d'étouffement qui m'habitait s'estompe graduellement. Nous pouvons enfin marcher debout. Même en tendant la main, je ne touche pas au plafond. Pareil sur les côtés. Je respire plus librement. Ouf ! L'angoisse est derrière moi.

— FrouFrou ! s'écrie Foxy.

Le chien a misé sur un instant de relâchement pour s'enfuir…

Mon angoisse me devance dorénavant ! Pas trop loin. Car le chien est au carrefour de deux couloirs. Il est haletant et énervé, pour changer !

Quelle entrée choisir ?

Le carnet ! Je le sors de mon sac pour le consulter à la lumière de la **lampe de poche**. Mon grand-père a exploré cette caverne et il l'a forcément cartographiée.

Hum… Virgile Stuart est un **grand** chercheur, mais un piètre dessinateur. Sur la 3e page du carnet, il a illustré grossièrement un plan de la rivière et de l'entrée de la grotte de Roth.

Les Zintrépides ignorent d'où provient le nom associé à cette caverne. C'est celui de l'explorateur George M. Roth qui a découvert l'endroit, il y a de cela plus d'une centaine d'années. La légende veut également que Roth ait mystérieusement disparu en poussant plus loin ses recherches dans la grotte. Selon cette même légende, oubliée depuis des lustres, mais évoquée dans les journaux du temps, une mystérieuse créature ailée hanterait les lieux. Les plus jeunes, eux, la surnomment la grotte de rots, car ils s'y amusent avec l'écho qui est produit quand ils rotent.

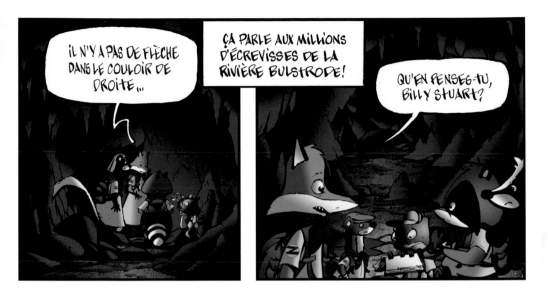

Je hausse les épaules, feignant l'ignorance.

Mais en fait, je viens de comprendre. Ce fameux X ne représente pas un trésor. C'est le début de la quête absolue de mon grand-père. Il ne s'agit pas d'un X, mais d'un Y exécuté en vitesse. Un Y dont le prolongement, involontaire des deux traits à la base, prête à confusion.

Y comme dans voie de passage.

Y comme dans voyage dans le temps.

Y comme dans Virgile, mon grand-père…

LES CHARADES

Mon premier est le contraire de *bas*
Mon second est le pluriel de *mal*
Mon troisième est l'abri que construisent les oiseaux
Mon quatrième est essentiel à toute vie sur terre
Mon tout est porté à la taille par Billy Stuart (indice page 151)

· ·

Mon premier est une maladie de la peau
Mon second, qui est inodore et incolore, se boit
Mon troisième est fait de farine, d'eau, de sel et de levain
Mon tout a la faculté de changer de couleur en quelques
   secondes

· ·

Mon premier désigne le cœur, le foie et le gésier
   du poulet (plur.)
Mon second ne perçoit pas les sons
Mon troisième est la conjugaison du verbe
   dire à la 3ᵉ personne du prés. de l'ind.: il ...
Mon tout est l'état dans lequel se trouve
   Billy Stuart quand il apprend que son
   grand-père va voyager dans le temps

Solution à la page 156

CHAPITRE 9

Sur la bonne voie?

Est-ce que je parle de mes conclusions aux membres de la meute des Zintrépides? Attendons de voir les résultats...

Un détail m'avait cependant échappé à la lecture du plan de mon grand-père. Le couloir vers la **DROITE** semble conduire vers une sortie, si j'en juge par le dessin du **cours d'eau** qui contourne la caverne. En supposant que l'orage se calme un jour et que la rivière rentre dans son lit, nous pourrions assurément emprunter ce tunnel. Et éventuellement, nous retrouver à l'air libre.

Par contre, si nous poursuivons vers la **GAUCHE**, qui sait où nous aboutirons?

Ce serait responsable de ma part d'en informer mes amis.

TROUPE, JE CROIS QUE LE COULOIR DE DROITE MÈNE À UNE ISSUE.

À DROITE, ALORS! J'AI HÂTE DE SORTIR D'ICI POUR REPRENDRE DES COULEURS, LE NOIR NE ME CONVIENT PAS DU TOUT!

J'AI MAUVAISE MINE DANS CETTE GALERIE.

BYE!

?

EH! OÙ VAS-TU, BILLY STUART?

SUR LES TRACES DE MON GRAND-PÈRE... VOUS N'AVEZ PAS BESOIN DE M'ACCOMPAGNER, JE PARS EN ÉCLAIREUR ET JE VOUS REJOINDRAI PLUS TARD!...

!?!

...PEUT-ÊTRE!

Avec la **lampe de poche**, je fonce dans le tunnel. Je me sens subitement très seul.

Je résiste à l'envie de rebrousser chemin et de revenir sur mes pas.

Pour me donner du courage, je chante l'hymne des Zintrépides :

Nous marchons tous vers l'aventure…
Nous avons tous une fière allure…

Inutile. L'écho de ma voix m'effraie davantage qu'il me rassure…

Dans ma mémoire, je revois le plan dessiné par mon grand-père. Est-il à l'échelle ? Je l'ignore. Je sais toutefois que sur le papier, l'embranchement de gauche, celui avec le Y, était relativement plus court que celui de droite.

En principe, je devrais bientôt atteindre l'endroit désigné par le fameux Y. La Voie. Que se passera-t-il alors? Mon corps va-t-il être secoué par de violentes vibrations? Vais-je être TRANSPORTE dans le temps? Vais-je perdre connaissance? Serais-je enveloppé d'une *clarté aveuglante*? Devrais-je...

Ça parle aux millions d'écrevisses de la rivière Bulstrode!

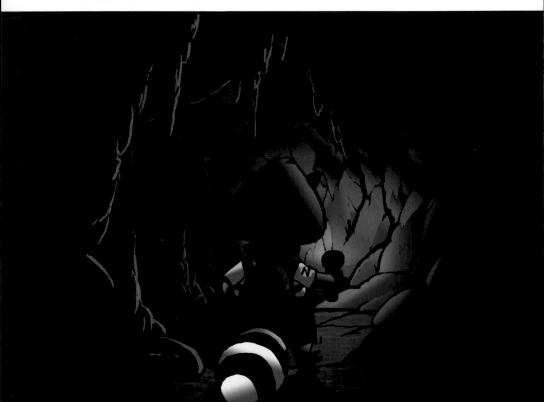

La réalité me rattrape : c'est du délire !

Je suis seul, sous terre, arpentant un sombre couloir vraisemblablement habité d'insectes qui n'espèrent qu'une chose : que les piles de ma lampe s'éteignent pour fondre sur moi et me dévorer vivant.

J'en frissonne des pieds à la tête. Puis au bord de la PANIQUE, j'arrête de marcher.

Le voyage dans le temps, c'est impossible ! À croire les balivernes de mon grand-père, je risque de m'enfoncer et de me perdre dans cette grotte. J'aurais dû écouter ma mère !

D'ailleurs, est-ce LA caverne de Roth ? Il y a plusieurs cavernes le long de la rivière. Le carnet a été trouvé dans celle-ci, mais un animal sauvage aurait pu le dénicher ailleurs et l'apporter ici…

Les battements de mon cœur s'accélèrent. C'était une erreur de me séparer de mes compagnons.

Pas une erreur... De la folie!

Je m'ennuie même de FrouFrou... Je...

Quoi? Moi, m'ennuyer de FrouFrou?

Ça y est! Je divague carrément! L'ivresse des cavernes, sans doute.

Je dois m'en aller. En me dépêchant, je pourrai rejoindre la meute. Oui. Je retourne sur mes pas et…

— **Aïe!**

J'ai heurté un obstacle.

Je braque ma **lampe de poche**…

Le couloir…

Il n'y en a plus!

J'ai frappé un **MUr**!

De l'autre côté du mur

Je suis bloqué! J'ai beau tâter le mur devant moi, il n'existe aucune issue. Je frappe plusieurs fois à me blesser l'intérieur de la main, et je **HURLE**, sans trop y croire :

— Il y a quelqu'un de l'autre côté? Troupe! Venez m'aider! Je suis ici!

Ici? J'ignore où c'est, « ici »…

Mes efforts sont vains. J'ai la **SORDIDE** impression d'être séparé de mes amis par plus qu'une simple paroi…

Dans mon **exploration tactile**, mes doigts rencontrent un motif, gravé dans la pierre. Je n'ai pas besoin de braquer le faisceau de ma lampe de poche pour en déterminer la nature. Mes doigts lisent le Y que plusieurs pourraient confondre avec un X écrit de façon expéditive. Y comme Voie, Voyage, Virgile…

Mon grand-père a laissé sa marque. Et ensuite? Et si...
Pourquoi pas? Au stade où j'en suis...

> GRAINES DE SÉSAME, OUVRE-TOI!

Dans ma tête, j'imaginais le mur se soulever lentement
et me permettre de rentrer chez moi. Rien ne se produit. Je
conclus que je ne suis pas un descendant d'*Ala Bibi et ses
40 ratons laveurs*, que j'ai employé une formule inexacte
et que je ne peux plus retourner en arrière. Je reprends mon
EXPLORATION de la grotte.

Mon esprit fait des siennes. Et si j'arrive dans un nouveau cul-de-sac ? Ce serait l'impasse pour moi ! Ou si je m'engage dans la mauvaise galerie et que je m'égare sous terre ? À bien y penser, ce ne serait pas déjà fait ?

J'ai de nouveau de la difficulté à respirer. Tout à coup, une pensée réconfortante surgit dans ma raison fiévreuse. Mon grand-père Virgile a visiblement franchi cette voie. Sa marque inscrite dans la pierre en est un témoignage vivant… Vivant. Oui, il doit l'être, mon grand-père. À moi de le retrouver.

L'idée me donne des forces pour continuer…

Jusqu'au moment où les piles rechargeables de ma lampe de poche s'épuisent et m'abandonnent dans le **NOIR ABSOLU**. Je crie mon désespoir.

— **AU SECOOOOOOOOOOOOOOOOOOOOOOOOOOOOURS !**

— … ours… ours… ours… ours…, répète l'écho.

Restons calme… Si ce n'était de mon orgueil de Stuart, j'éclaterais en sanglots ! Non ! Finalement, je vais me fâcher ! Ça, c'est la faute de… FrouFrou ! M'occuper du chien ces derniers jours a exigé de moi *tellement* d'énergie que j'ai négligé de recharger mes piles.

Hé! Ça tombe pile justement! J'ai l'appareil pour recharger les piles dans mon sac! **Youpi!** Je m'en veux d'avoir imputé mes déboires au caniche. J'ai seulement à repérer dans la caverne une prise… de… courant… pour… recharg…

Quel imbécile!

Oui, tout ça, c'est la faute de ce sale cabot!

Je ramasse ce qu'il me reste de courage et j'affronte les **TÉNÈBRES** en avançant à tâtons. Mes yeux s'habituent lentement à la noirceur. Je découvre que le couloir sinueux présente un coude d'où j'entrevois enfin une lueur d'espoir. La galerie baigne dans une demi-obscurité, je peux en distinguer les parois.

Je presse le pas, désireux de sortir de là au plus vite. Il me semble que ça fait des **siècles** que les Zintrépides se sont réfugiés dans cette grotte… Mais s'agit-il toujours de la même grotte ?

Oui !

Euh… non ! Je ne réponds pas par l'affirmative à ma dernière question. C'est oui, dans le sens de : **Youpi ! Super ! Eurêka ! Yesssssssss !** Parce qu'il y a de la lumière au bout du tunnel. Mes craintes s'évanouissent.

Je ne marche plus, je cours à présent vers la liberté.

BING !

Un violent coup à la tête m'assomme. J'en vois des étoiles.

Sonné, je suis étendu sur le sol. Quelle position inconfortable ! J'ai mal à mon front. J'ai mal à mon dos.

Mes doigts tâtent une grosse bosse sur mon crâne.

Ouille ! Ouille ! Ouille !

Je me relève péniblement. Je peine à garder mon équilibre. Les paupières mi-closes, je cherche un quelconque assaillant. Il n'y a personne dans le tunnel. Je distingue la cause de mon *malheur* : une stalactite accrochée à la voûte de la caverne. J'aurais dû me montrer plus prudent et ne pas foncer tête première vers l'inconnu, en particulier quand le plafond du couloir est bas.

Je retiendrai la leçon.

Je me console en me disant que j'aurais pu heurter… une stalagmite ! Ouille ! Ouille ! Ouille !

Vous savez la différence, n'est-ce pas? Les stalactites tombent; les stalagmites montent. Facile comme truc. Maintenant, comment peut-on se souvenir que pomme prend deux m, mais que pomiculteur n'en compte qu'un seul? Mystère…

Je contourne l'obstacle et continue d'avancer le corps penché, au cas où…

Au bout de quelques minutes pas plus, j'émerge du passage.

Ça parle aux **MILLIOOO OOONS** d'écrevisses de la rivière Bulstrode!

Une caverne! Le couloir débouche sur une immense caverne!

Je ne peux évaluer combien de temps je suis resté prostré ainsi… J'y serais encore si je n'avais pas entendu une voix **tremblotante** derrière moi:

CHAPITRE 11

Des retrouvailles inespérées

J'aurais vu le Père Noël en kilt que je n'aurais pas été plus surpris.

— Troupe, qu'est-ce que vous faites ici ?

Je me suis pincé le bras pour me persuader de ne pas avoir la berlue : mes compagnons m'ont rejoint ! Le chien FrouFrou bondit sur ses pattes arrière, excité de me revoir après cette brève séparation.

— CALME-TOI, LE CHIEN ! lui dis-je sur un ton autoritaire, mais inefficace.

Le caniche renifle partout, sans trop s'éloigner du groupe. Non pas que je sois déçu de renouer avec les membres de la troupe des Zintrépides. Je suis effaré. Oui. Effaré !

— Ben nous aussi, on est heureux de te retrouver, lance Foxy, sarcastique.

Muskie désigne l'endroit qui se déploie sous nos yeux.

— C'est encore la grotte de Roth, ça? demande-t-elle. Où sommes-nous?

Je n'ai pas de réponses à ces questions. Mais je dois savoir ce qui s'est passé pour qu'ils aboutissent ainsi à mes côtés.

— Lorsque nous étions au carrefour des deux couloirs dans la caverne, j'ai pris à ◁ GAUCHE pour parcourir le trajet de mon grand-père. Vous, vous deviez emprunter le passage de DROITE ▷ pour la sortie…

Foxy relate son bout d'histoire.

— C'est ton chien…

Je soupire et lève les yeux au ciel. Pourquoi ne suis-je pas surpris?

— Ce n'est pas MON chien…

— Cesse de m'interrompre, Billy Stuart! Nous sommes allés à droite, comme il était entendu, mais après quelques minutes, FrouFrou a constaté ton absence… Que veux-tu?

Vous êtes inséparables ! Il m'a échappé et s'est lancé sur tes traces. Nous l'avons tous suivi… jusqu'ici !

— Ouais, bougonne Muskie. Tu sais que j'ai failli me frapper la tête sur une stalactite. Je l'ai aperçue à la dernière seconde. Galopin, lui, n'avait pas vu la stalagmite…

Le caméléon roule des yeux. Ouille ! Ouille ! Ouille !

— Et nous voilà avec toi, la meute réunie, conclut Foxy. Ça ne nous dit pas où l'on est…

— Tu as regardé dans ton carnet? suggère Yéti, la belette. Il y a certainement des informations pertinentes sur l'endroit où l'on est…

C'est vrai. Je n'y avais pas réfléchi. Je tourne la page où est dessiné le plan de la grotte.

— *OUI!* Mon grand-père a écrit quelque chose: «Rends-toi au cœur des dédales de la ville, tu y trouveras la suite de ton chemin.»

— Ça ne signifie rien, ça. *MES YEUX N'EN CROIENT PAS LEURS OREILLES*, déclare Galopin.

— Il y a autre chose? demande Foxy. Est-il question de cette caverne de Roth?

Je feuillette le carnet. Non. Que des pages blanches…

CHAPITRE 12

« Scriiiii! »

Entouré de mes amis et du chien, j'observe la caverne de Roth. À quoi puis-je la comparer puisque je n'ai jamais rien vu de pareil? Elle doit faire plusieurs fois la dimension du gymnase de l'école, tant en hauteur qu'en largeur et en profondeur.

Si on jouait au **BASKETBALL** d'un bout à l'autre, on serait mort de fatigue ou de faim avant d'arriver au panier de l'adversaire. J'exagère à peine.

Si on voulait installer une lumière au plafond, il faudrait monter à bord d'un hélicoptère pour changer l'ampoule brûlée. Je n'exagère pas du tout.

Il y a de ces coïncidences amusantes dans la vie. Au moment même où je rédige ce passage, ma maison de la rue Grise vient d'être survolée... par un hélicoptère! Sérieux! On n'invente pas ces choses-là (il est actuellement 7 h 30, le matin du 2 mars).

Mais une lumière au plafond de cette caverne serait inutile – elle ne serait jamais assez puissante de toute façon. C'est que la caverne baigne dans la pénombre. Pour des raisons que j'ignore, probablement des champignons lumineux, on voit assez bien pour en distinguer les détails, comme les incontournables STALACTITES et STALAGMITES.

Je ne peux m'empêcher de m'exclamer :

— Ça parle aux millions d'écrevisses de la rivière Bulstrode !

... ODE... ODE... ODE...

Ma voix se répercute dans tous les coins de la caverne. Je pense que s'il y avait quelqu'un à l'autre extrémité et que je murmurais, il pourrait me comprendre, tant le son circule librement.

Pour économiser les piles de sa lampe de poche, Muskie l'éteint.

Nous avançons prudemment et en silence pour essayer de repérer d'où provient ce cri étrange. Je réalise soudain que nous sommes à découvert. L'image d'une promenade dans un *interminable* gymnase me revient à l'esprit. Le sol est accidenté avec son lot de stalagmites, mais il y a très peu d'endroits où nous pourrions nous réfugier en cas d'urgence.

— Des yeux! Là! indique Foxy, désignant la voûte de la caverne.

— Tu… tu es sûre? dit Muskie.

— Oui! Ils venaient en paire…

— Bonne nouvelle! Au moins, on sait qu'on n'aura pas affaire à un cyclope, réfléchit Galopin.

—Et ils étaient **ROUGES**…

Tout à coup, FrouFrou se dresse sur ses pattes arrière et aboie furieusement. Foxy resserre son emprise sur la laisse du caniche. Au-dessus de nos têtes, un rapide battement d'ailes se fait entendre. Une OMBRE passe…

Il y a quelque chose là-haut !

CHAPiTRE 13

Batman...

— Et si, au lieu de la caverne de Roth, on se trouvait dans celle de  ? soulève Galopin.

— Tu lis trop de bandes dessinées, lui reproche Muskie.

QU'iL Y VIENNE! NON, MAIS QU'IL Y VIENNE!

— Beurk! J'ai marché sur quelque chose, se lamente Muskie en secouant la patte.

Elle montre son pied **DÉGOULINANT** d'une substance blanchâtre, mi-liquide, mi-solide, et ne sentant pas l'eau de 𝓇𝑜𝓈𝑒.

— Du guano, conclut Foxy, sans trop s'approcher.

— Ça justifie la présence de Batman, enchaîne Galopin. C'est du guano de Batman.

Guano est le nom donné aux excréments des oiseaux marins et des chauves-souris.
Note: Batman ne produit pas de guano dans ses quartiers secrets; il fait ça dans les toilettes.

— À l'évidence, on est dans une caverne peuplée de chauves-souris, signale Foxy.

— Aïe! émet Muskie, rentrant la tête dans les épaules. Je ne veux pas qu'elles s'agrippent à mes poils!

Décidément... Ce n'est qu'un mythe. Les chauves-souris ne s'accrochent pas aux cheveux des gens, pas plus qu'au poil de mouffette. Batman non plus...

— N'aie pas peur, la rassure Galopin. Après tout, nous avons peut-être affaire à des chauves-souris vampires. Ce n'est donc pas ta tête qu'elles viseront, mais ton cou!

— J'aurais dû mettre un foulard de laine et un collier de gousses d'ail, regrette la mouffette.

— Troupe ! Dépêchons-nous de sortir d'ici.

Nous **hâtons** le pas, tout en jetant de fréquents coups d'œil autour de nous.

— Quelqu'un sait où on va ? signale Yéti, à califourchon sur le chien, trop heureux de lui servir de monture.

— Tu pourrais marcher ! lui reproche Foxy. C'est un **Caniche**, pas un **PONEY**.

— Ça lui plaît, réplique la belette. Pas vrai, FrouFrou ?

Il tapote les flancs du chien, qui répond en agitant la queue.

C'est moi qui guide les Zintrépides. Mon intuition m'incite à me diriger droit devant, comme s'il y avait une issue à l'autre bout. Quelque chose me dit que c'est par là qu'a dû passer mon grand-père, Virgile.

— **STOP** !

Surpris, FrouFrou cambre les reins et désarçonne Yéti. La belette évite la chute grâce à la vigilance de Muskie qui l'attrape par le collet.

À nos pieds s'ouvre un précipice…

La langue qui fourche

Muskie scie ces chers sièges et ces seize chaises sans se soucier de savoir si ce sont ses choses.

Galopin peint en blanc le banc de pin qui, de pains blancs, est bien plein.

Billy Stuart rend visite à madame Sans Souci: Combien sont ces six cent six écrevisses-ci? dit celui-ci. Ces six cent six écrevisses-ci sont six cent six sous. Six cent six sous, ces six cent six écrevisses-ci? Eh bien, si ces six cent six écrevisses-ci sont six cent six sous, ces six cent six écrevisses-ci sont trop chères!

Le chauve-grimace

— Qu'est-ce qu'on fait maintenant, Billy Stuart? dit Galopin.

— **Euh...**

Mon intuition qui me poussait à aller droit devant a failli faire basculer les Zintrépides dans le vide. La crevasse ressemble à une gueule béante prête à nous engloutir. Une gueule aussi large qu'un **grand** boulevard. Impossible de sauter pour atteindre l'autre côté. On pourrait commander à FrouFrou d'essayer de bondir au-delà du gouffre. Ça nous permettrait d'évaluer la distance qu'il reste à franchir… J'oublie l'idée pour l'instant; je ne veux pas m'attirer les foudres de Foxy.

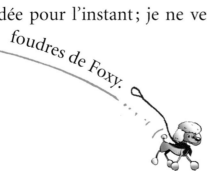

Galopin se penche au-dessus du vide. On n'en voit pas le fond. Muskie braque sa lampe de poche, mais son faisceau ne perce pas les ténèbres. Yéti laisse tomber une pierre et **attend**… attend… et attend…

— Aucun son, signale la belette.

— Aucun fond, ajoute le caméléon.

— Ça doit mener au centre de la Terre, note Foxy.

— Ou au centre de l'enfer où ça pue le soufre, renchérit Muskie.

— Troupe! Par là! dis-je en désignant une passerelle naturelle à une centaine de mètres à notre gauche.

On l'avait presque oublié, celle-là ! Alors que nous approchons de l'étroit pont de pierre suspendu, la créature se manifeste de nouveau.

— La voilà ! montre Foxy.

La **bête étrange** se maintient à une dizaine de mètres du sol.

— Ce n'est pas Batman, s'attriste Galopin.

— Ce n'est pas une chauve-souris, précise Muskie, effrayée par l'apparition.

L'être tient autant du démon que de la chauve-souris. Il a la taille d'un homme. Ses **BRAS** et ses **JAMBES** sont détachés de ses **AILES**. Ses **MAINS** et ses **PIEDS** sont griffus. Il a le **CRÂNE** nu, des **OREILLES** énormes et des **YEUX** de braise.

— C'est un chauve, observe Galopin, mais il ne sourit pas : il grimace. C'est un chauve-grimace !

Le chauve-grimace montre de REDOUTABLES CANINES qui pourraient nous tailler en pièces. Subitement, il file à la verticale et, du coup, laisse échapper une quantité de guano, comme pour alléger son vol. La substance aboutit dans le visage de Muskie qui en beugle d'écœurement.

— **Aaaaaargh !**

Foxy tend une serviette humide à la mouffette pour qu'elle essuie les dégâts. Ça ne sera pas suffisant. La renarde m'examine.

Je refuse catégoriquement :

— **Pas question !** Je ne m'en sépare jamais. Et puis, le guano va le tacher…

— Égoïste, bougonne Muskie.

— On ne regardera pas, Billy Stuart, promet Galopin en gloussant.

— Je te connais trop, dis-je, offusqué.

Nous perdons de précieuses secondes à discuter.

— TROUPE ! DEVANT ! Au pont de pierre !

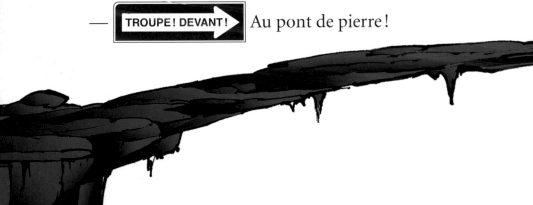

CHAPITRE 15

Un tremblement de pont

Si le gouffre auquel nous faisons face est de la largeur d'un boulevard, le **PONT DE PIERRE** qui le traverse tient du trottoir. Sauf qu'avec le vide de chaque côté, j'ai l'impression que le trottoir se rétrécit à une simple planche, voire un fil de fer.

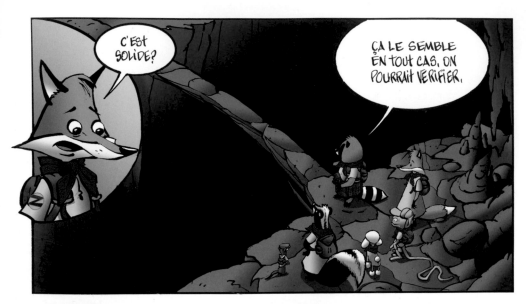

La belette adopte la position de Galopin, à quatre pattes, la danse en moins. Elle rejoint sans encombre le caméléon.

Le caniche *aboie* et veut s'élancer à son tour. Quelle impatience !

— Tu pourrais le laisser filer tout seul, Foxy…

Ma remarque me vaut une *moue de désapprobation*.

— Je préfère l'accompagner, Billy Stuart, dit-elle, l'air pincé.

La laisse  au point de se briser, FrouFrou bondit sur deux pattes, inconscient du danger sous lui. Un geste brusque et il risque de plonger dans le vide et d'entraîner Foxy avec lui.

Je m'écrie :

— Idiot de cabot !

Et l'écho répond :

… **bot**… **bot**… **bot**…

SCRiiiiii!!!

— ATTENTION, FOXY !

Mon avertissement éclate dans l'air. Le chauve-grimace surgit de nulle part et fonce avec **AGRESSIVITÉ** sur la renarde qui l'esquive en plongeant au sol. Mais la créature saisit FrouFrou au vol. S'ensuit une violente partie de souque-à-la-corde entre Foxy et la bête ailée où chacun tire de son côté. La laisse résistera-t-elle longtemps à la tension ?

Le chauve-grimace, qui bat vigoureusement des ailes, entraîne la renarde vers le bord du **PONT**. Bientôt, Foxy n'aura plus le choix. Elle devra abandonner le caniche pour sauver sa peau.

— Laisse tomber, Foxy! lui dis-je, regrettant immédiatement mes mots.

Le chien gémit dans les mains griffues du monstre. Galopin, le caméléon, brave les risques d'effondrement du pont de pierre ou la chute dans l'abîme et court prêter main-forte à Foxy. La manœuvre est toutefois inutile: le chauve-grimace est **TROP FORT** pour eux. Les pieds de mes amis n'ont pas de point d'appui.

— Lâche-les, sale usine à guano! vocifère Muskie.

Je réfléchis à la vitesse de l'éclair : caverne… chauve-souris… pénombre… lumière… Oui ! Lumière !

Je m'empare de la lampe de poche de Muskie et je braque le faisceau dans le visage du chauve-grimace.

SCRITITII!!!...

Aveuglé, il cherche à se protéger les yeux. Ce faisant, il lâche le caniche. La créature fuit vers la voûte de la caverne.

La tension relâchée sur la laisse **déséquil**ibre Foxy et Galopin qui s'affaissent sur le pont. Le choc a failli les entraîner dans le précipice. Dans sa chute au sol, la laisse glisse des mains de Foxy.

FrouFrou toooooooooombe en émettant une longue plainte.

Galopin, lui, réagit instantanément. De sa queue, il s'accroche au rebord du pont de pierre. Il plonge dans le gouffre et projette sa langue pour saisir le chien à la toute dernière seconde.

— ...e...ai ! ...e...ai !

— Il l'a ! Il l'a ! traduit Foxy.

L'élan imprime un curieux mouvement de balancier au caméléon et à FrouFrou, comme un pendule qui oscille.

Son exploit est salué par le cri de joie de Foxy.

— Bravo, Galopin ! Maintenant, on rembobine…

Tel un poisson au bout d'une ligne à pêche, le chien est ramené en sûreté sur le pont de pierre.

Muskie et moi, nous les rejoignons. FrouFrou, comme si de rien n'était, bondit sur ses pattes arrière, heureux de nous revoir.

BRRRRRRRRRRRR...

Nous nous précipitons à la file indienne vers la partie encore intacte. Je suis le dernier de la troupe et le pont est en train de crouler derrière moi.

— **GROUILLEZ-VOUUUUUUUUUUUUUUUUUUUUS!**

Vais-je basculer dans le vide avant d'avoir pu atteindre le rebord?

Les Zintrépides y parviennent enfin. Ne reste plus que moi, qui ne suis qu'à quelques mètres de la sécurité.

TROP TARD! Le reste du pont s'écroule sous mes pieds. Je tends les bras et, dans un ultime effort, je me projette vers l'avant. Mes doigts s'agrippent à la paroi. S'ils sont agiles, ils ne sont pas très puissants. Je me sens glisser. Impossible de m'y maintenir. Ça y est! Je plonge à mon tour vers l'infiniiiiiiiiiii...

Deux **MAINS**, celle de Foxy et de Muskie, saisissent les miennes. Ma descente se termine abruptement. Avec mes **ORTEILS**, je m'appuie contre le mur pour remonter.

Essoufflé et ébranlé, assis sur le sol, je bafouille un remerciement.

L'écho d'un « Scriiiii… » nous oblige à nous remettre en marche.

— Adieu, chauve-grimace ! hurle Galopin.

L'ÉNIGME

En cette belle journée d'été, les Zintrépides marchent en file indienne. Pour se protéger des rayons du soleil, chacun porte un petit pare-soleil. Ils boivent tous une boisson, mangent tous une collation et promènent tous leur animal de compagnie. Oui, même Billy Stuart !

Pour résoudre cette énigme, il te faudra déterminer pour chacun de nos amis :

LA COULEUR DE SON PARE-SOLEIL	L'ANIMAL QUI L'ACCOMPAGNE	LA BOISSON QU'IL BOIT	LA COLLATION QU'IL PREND	SON RANG DANS LA FILE

Voici suffisamment d'indices pour te permettre de trouver la solution :

1. Billy Stuart est au centre du groupe. Il porte un pare-soleil rouge.

2. Foxy promène le chat et traîne à la queue.

3. Muskie boit une limonade sous son pare-soleil bleu.

4. Le pare-soleil vert est devant le pare-soleil blanc.

5. Celui qui a le pare-soleil vert boit du jus et se tient derrière le pare-soleil rouge.

6. Celui qui promène le caniche mange une écrevisse. Indice : il dit tout le temps : « Ce n'est pas mon chien ! »

7. Celui qui porte le pare-soleil jaune mange de la réglisse.

8. Celui qui se tient au milieu du groupe boit du lait.

9. Galopin porte un pare-soleil jaune. Il est à l'avant du groupe.

10. Celui qui mange une crème glacée est à côté de celui qui promène la sauterelle.

11. Celui qui est accompagné du lapin est voisin de celui qui mange de la réglisse.

12. Celui qui mange un bonbon boit du thé.

13. Yéti mange du maïs soufflé.

14. Galopin est à côté de celui qui porte le pare-soleil bleu.

15. Celui qui mange une crème glacée a un voisin qui boit de l'eau.

16. Il ne manque plus que… le poisson !

Solution à la page 157

CHAPITRE 16

À l'air libre

Mon intuition, malgré l'épisode du pont de pierre, était la bonne. La caverne, que j'ai décrite tel un **GIGANTESQUE** et **INTERMINABLE** gymnase, n'est pas sans fin. Au fur et à mesure de notre avancée, ses murs se rapprochent, un peu à la manière d'un entonnoir.

Et, au bout du goulot de l'entonnoir, une lumière. Une vraie ! Celle du jour… celle du soleil.

Des **exclamations de joie** saluent notre sortie à l'air libre.

— Nous avons réussi ! se réjouit Foxy, appuyée par les aboiements du chien.

Mais les **célébrations** sont de courte durée. Nous ne sommes pas au pied de la montagne, ainsi que nous l'envisagions, mais sur un plateau qui surplombe une vallée.

— Ce n'est pas la forêt des Kanuks, ça, souligne Muskie, avec raison.

Dois-je révéler à mes amis ce que je crois être la vérité? Autant qu'ils le sachent tout de suite. Je vois de nombreuses **questions** se bousculer dans leur tête.

> J'allais utiliser l'expression « leur brûler les lèvres ». Mais dans le cas d'animaux, même s'ils parlent et qu'ils se déplacent sur deux pattes, ça ne s'applique pas...

De mon aumônière, je sors le carnet de mon grand-père.

> L'aumônière est un petit sac de cuir qui se porte à la ceinture. Lors de notre rencontre, Billy Stuart a employé le mot « sporran », absent de tous les dictionnaires de la langue française que j'ai parcourus.

— Troupe, quand vous avez un pansement, préférez-vous le retirer d'un coup sec ou *très lentement* ?

— Moi, ça ne me dérange pas avec ma peau de lézard, répond Galopin.

— Brusquement ! s'accordent Muskie, Foxy et Yéti.

— C'est ce que je pensais. Alors, préparez-vous, je tire. Je ne crois pas me tromper en affirmant que nous venons de V O Y A G E R   D A N S   L E   T E M P S… Mon grand-père a trouvé une voie de passage dans la caverne qui lui permettrait de changer d'époque… et de lieu, visiblement. Vous l'avez remarqué, tout à l'heure, avec le chauve-grimace, et maintenant… ça, ce n'est plus la forêt des Kanuks.

Un silence lourd suit mon annonce. Aurais-je dû y aller graduellement ?

Mes amis se regardent avec un je ne sais trop quoi dans les yeux. Mes doigts caressent la couverture de cuir du carnet et effleurent le Y incrusté dans la partie supérieure droite, symbole du propriétaire de l'objet.

Je fixe l'horizon :

— Troupe, on est… ailleurs. Où et quand ? Là, je nage en plein brouillard…

Il y a là, sous nos pieds, un

à découvrir…

CHERCHE ET TROUVE

Peux-tu repérer ces éléments dans le livre ?

RECHERCHÉ

RECHERCHÉ

RECHERCHÉ

RECHERCHÉ

RECHERCHÉ

RECHERCHÉ

RECHERCHÉ

RECHERCHÉ

RECHERCHÉ

Solution à la page 157

SOLUTIONS

SENS DESSUS DESSOUS (P. 72)

À CE JEU, IL Y A PLUS D'UNE SOLUTION POSSIBLE.
EN VOICI UNE :
 OURS—SÛRS—SUIS—SOIS—SOIR—NOIR

LES CHARADES (P. 92)

PREMIÈRE CHARADE
HAUT—MAUX—NID—AIR (AUMÔNIÈRE)

DEUXIÈME CHARADE
GALE—EAU—PAIN (GALOPIN)

TROISIÈME CHARADE
ABATS—SOURD—DIT (ABASOURDI)

L'ÉNIGME (P. 148)

	1ER RANG	2E RANG	3E RANG	4E RANG	5E RANG
PERSONNAGE	GALOPIN	MUSKIE	BILLY STUART	YÉTI	FOXY
COULEUR DU PARE-SOLEIL	JAUNE	BLEU	ROUGE	VERT	BLANC
ANIMAL	SAUTE-RELLE	LAPIN	CANICHE	POISSON	CHAT
BOISSON	EAU	LIMONADE	LAIT	JUS	THÉ
COLLATION	RÉGLISSE	CRÈME GLACÉE	ÉCREVISSE	MAÏS SOUFFLÉ	BONBON

TABLE DES MATIÈRES